Shopkins™

Des courses de folie !

GUIDE OFFICIEL
SAISONS 1 À 4

PRESSES AVENTURE

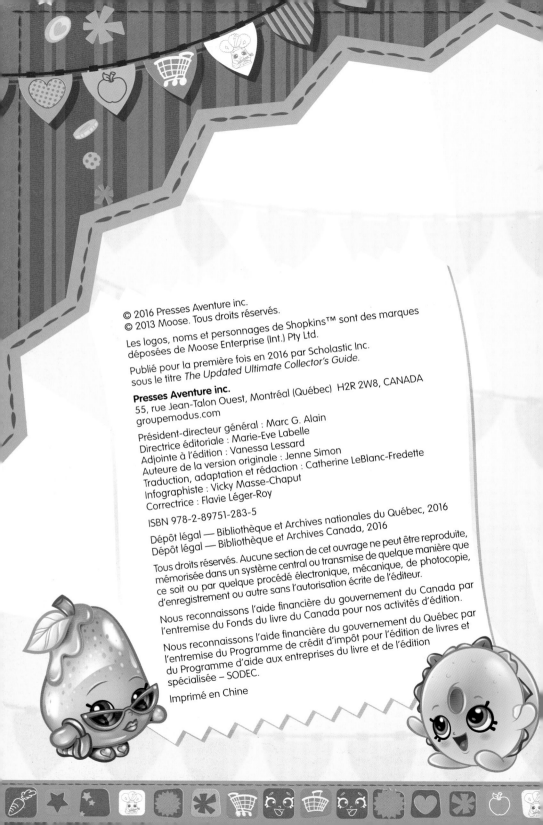

Les logos, noms et personnages de Shopkins™ sont des marques déposées de Moose Enterprise (Int.) Pty Ltd.

Publié pour la première fois en 2016 par Scholastic Inc. sous le titre *The Updated Ultimate Collector's Guide.*

Presses Aventure inc.
55, rue Jean-Talon Ouest, Montréal (Québec) H2R 2W8, CANADA
groupemodus.com

Président-directeur général : Marc G. Alain
Directrice éditoriale : Marie-Eve Labelle
Adjointe à l'édition : Vanessa Lessard
Auteure de la version originale : Jenne Simon
Traduction, adaptation et rédaction : Catherine LeBlanc-Fredette
Infographiste : Vicky Masse-Chaput
Correctrice : Flavie Léger-Roy

ISBN 978-2-89751-283-5

Dépôt légal — Bibliothèque et Archives nationales du Québec, 2016
Dépôt légal — Bibliothèque et Archives Canada, 2016

Nous reconnaissons l'aide financière du gouvernement du Canada par l'entremise du Fonds du livre du Canada pour nos activités d'édition.

Nous reconnaissons l'aide financière du gouvernement du Québec par l'entremise du Programme de crédit d'impôt pour l'édition de livres et du Programme d'aide aux entreprises du livre et de l'édition spécialisée – SODEC.

Imprimé en Chine

TABLE DES MATIÈRES

Bienvenue au supermarché des Shopkins, là où il y a toujours du plaisir en réserve ! Avec cette nouvelle édition, tu pourras te régaler de détails croustillants sur la vie de tes personnages préférés des séries 1 à 4. Alors prends ton panier et parcours les rayons à la rencontre de la délicieuse Pommette, de l'éclatée Popcorni, de la chic Sacmimine, de la givrée Glacette et de leurs camarades hauts en couleur ! Et c'est parti !

Le rayon des fruits et légumes est l'endroit parfait pour s'amuser ! Pour les accompagner dans leurs folies, tu devras avoir de l'énergie, car les Shopkins de ce rayon ont vraiment la pêche !

FRUITS ET LÉGUMES

POMMETTE

COULEUR PRÉFÉRÉE :
Vert pomme

CE QUI LA DISTINGUE :
Ses belles pommettes

CITATION PRÉFÉRÉE :
« Une pomme par jour éloigne le médecin pour toujours »

SAISON FAVORITE :
L'automne

CÉLÉBRITÉ DANS SA FAMILLE :
C'est son ancêtre qui est tombé sur la tête de Newton et qui lui a fait comprendre la loi de la gravité !

Pommette a un cœur d'aventurière et rien ne l'empêchera de croquer dans la vie !

ÉDITION LIMITÉE

******* TOMATOS ******

ÂGE :
Disons seulement
qu'il est plutôt mûr !

MEILLEURE AMIE :
Confipotine

ART FAVORI :
Il aime tout du théâtre :
le côté cour et le côté jardin !

RECONNU POUR :
Raconter des salades !

CITATION :
« Cueillir le jour »

***** CHANTEMIGNON *****

AIME :
Se faire traiter aux petits oignons

ENDROITS FAVORIS :
Les lieux sombres et humides

ACTIVITÉ PRÉFÉRÉE :
Cuisiner des tartes à la boue

DÉFAUT :
A parfois la grosse tête

CITATION :
« Une vie truffée de surprises ! »

✱✱✱✱✱✱✱ ORANGETTE ✱✱✱✱✱✱✱✱

AIME :
Les histoires juteuses

ACTIVITÉ PRÉFÉRÉE :
Éplucher les journaux

DÉFAUT :
Elle est souvent pressée

**CONSEIL POUR
UNE FÊTE RÉUSSIE :**
Il faut mélanger
les pommes et les oranges !

CITATION :
« Un zeste de folie ! »

✱✱✱✱✱✱✱✱ MAISSY ✱✱✱✱✱✱✱✱

MEILLEURE AMIE :
Popcorni

PASSE-TEMPS :
Prendre le temps de souffler

RÊVE :
Aller visiter son cousin Épi dans
son champ natal

CITATION :
« Pousse maïs pousse égal ! »

FÊTE PRÉFÉRÉE :
La Saint-Valentin

MEILLEURE AMIE :
Pommette

ON DIT D'ELLE QUE :
Elle est très mûre
pour son âge

BOISSON PRÉFÉRÉE :
La limonade rose

ELLE RÊVE À :
Ce qu'il peut bien
y avoir au pied
de l'arc-en-ciel

FRAISY

 Quand Fraisy n'est pas perdue dans ses pensées,
tu la trouveras certainement en train d'écrire
un nouveau poème ou une chanson.
C'est une grande romantique !

POIRETTE

PERSONNALITÉ :
Douce et gentille

DÉFAUT :
Elle est parfois bonne poire

ACCESSOIRE PRÉFÉRÉ :
Ses lunettes de soleil

MEILLEURE AMIE :
Glossy

CITATION :

« Il n'est pas question
de poireauter ! »

ANNANA

LIEU DE DÉTENTE PRÉFÉRÉ :
L'allée des parasols

AIME :
Passer du temps au soleil

TEMPÉRATURE PRÉFÉRÉE :
Le climat tropical

RECONNUE POUR :
Son cœur d'or

****** CITRONKISS ****** ÉDITION LIMITÉE

RECONNU POUR :
Sa concentration

COULEUR PRÉFÉRÉE :
Jaune citron

ON LE VOIT SOUVENT AVEC :
Citronette

DÉFAUT :
Parfois, il essaie de passer un citron à ses amis !

CITATION :
« Soyez sûr de vous ! »

***** CHOUFLETTE ******

PASSE-TEMPS :
Feuilleter un bon livre

CADEAU PRÉFÉRÉ :
Un bouquet de fleurs

SURNOM LORSQU'ELLE ÉTAIT PETITE :
Bout de chou

CITATION :
« Comme c'est chou ! »

******** POIPOISY ********

RIRE :
« Pouah ! »

PLUS GRANDE PEUR :
La solitude

PASSE-TEMPS :
Jongler

CITATION :

« Personne ne fait
le pois contre
nous trois ! »

****** PECHOUILLE *****

ON DIT D'ELLE QUE :
Elle est un véritable péché mignon

RECONNUE POUR :
Sa belle peau

N'AIME PAS :
Être obligée de se dépêcher

PASSE-TEMPS :
Prendre ça cool avec Glassouille

******** **GRIOTINE** ********

SURNOM :
Les deux font la paire

HABITUDE :
Finir les phrases de l'autre

COULEURS PRÉFÉRÉES :
Noir et rouge

ENDROIT PRÉFÉRÉ :
Au sommet d'un gâteau

******** **ABRICOTO** ******

PERSONNALITÉ :
Malgré son noyau, Abricoto
a un cœur tendre

MAUVAISE HABITUDE :
Utilise parfois un ton sec

N'AIME PAS :
Les déconfitures

S'ENTEND BIEN AVEC :
Griotine

Oh ! Comme la boulangerie est invitante ! Comme tout est si bon et beau ! Viens rencontrer les Shopkins de ce rayon et découvrir leur petit côté givré !

BOULANGERIE

TALENT SECRET :
Dire la bonne fortune

RECONNUE POUR :
Faire de bonnes blagues croustillantes !

RÊVE :
Trouver une pépite d'or

TRADITION DE NOËL :
Attendre le père Noël avec Laitchouette à côté du sapin

CITATION :
« La gentillesse, c'est la recette du bonheur ! »

COOKY

Cooky est une petite douceur très timide, mais tous ses amis te diront que c'est une bonne pâte !

******** DONUTY ********

SE TIENT TOUJOURS AVEC :
Sa douzaine d'amis !

ACTIVITÉ PRÉFÉRÉE :
La baignade

N'AIME PAS :
Être dans le pétrin

RECONNUE POUR :
Ne jamais avoir de trou de mémoire

PLUS GRAND ATOUT :
Ses belles rondeurs

****** MUFFINETTE ******

REPAS PRÉFÉRÉ :
Le brunch

MOMENT DE LA JOURNÉE PRÉFÉRÉ :
Le matin, c'est une lève-tôt !

MEILLEURE AMIE :
Laitchouette

ACCESSOIRE PRÉFÉRÉ :
Son chapeau

N'AIME PAS :
Rentrer dans le moule

******** BAGUETTA ********

PERSONNALITÉ :
Un peu dur à l'extérieur,
mais tendre à l'intérieur !

CHANSON PRÉFÉRÉE :
« Do-rée mie »

AIMERAIT AVOIR :
Une baguette magique

CITATION :
« On a toujours le temps
de casser la croûte ! »

******* PANETTE ********

PLUS GRANDE PEUR :
Être pris en sandwich dans la foule

DÉFAUT :
Il a parfois des opinions trop tranchées

AIME :
Mettre la main à la pâte

CITATION :
« Il va y avoir du pain
sur la planche ! »

******* CAKECAROTTE *******

COULEUR DE CHEVEUX PRÉFÉRÉE :
Poil de carotte

MATIÈRE PRÉFÉRÉE :
Les mathématiques : elle aime calculer les racines carrées !

PERSONNALITÉ :
Charmante, mais un peu givrée

CITATION :
« La vie sans les amis, ce n'est pas du gâteau ! »

******* MERINGUA *******

DANSE PRÉFÉRÉE :
Le merengue

DÉFAUT :
Elle a la dent un peu trop sucrée

PERSONNALITÉ :
Elle a toujours la tête dans les nuages !

PLUS GRAND MYSTÈRE SELON ELLE :
L'œuf ou la poule ?

PLUS GRAND RÊVE :
Aller voir les glaciers

DONUTA

SPORT PRÉFÉRÉ :
Le golf ! Elle réussit toujours un trou d'un coup !

SAISON FAVORITE :
Le début de l'hiver, alors que la neige a légèrement glacé les rues...

MEILLEURE AMIE :
Chocolette

CITATION :
« Tout baigne dans l'huile ! »

COULEUR PRÉFÉRÉE :
Rose bonbon

ELLE NE PEUT S'EMPÊCHER DE :
Grignoter souvent, elle a toujours un creux !

 En voilà une remplie d'un esprit sportif épatant. Elle devient un peu givrée dans une compétition, mais c'est parce qu'elle vise toujours le trou d'un coup !

★★★★★★★ GATOFROM ★★★★★★★

PERSONNALITÉ :
Elle est tendre et douce

COULEUR PRÉFÉRÉE :
Chocolat

VOYAGE DE RÊVE :
Visiter New York

RECONNUE POUR :
Sa belle fraise

CITATION :
« C'est du gâteau ! »

★★★★★★ CUPCAKE ★★★★★★

FASCINÉE PAR :
Les gâteaux étagés

DÉFAUT :
Ne jamais se décider sur une saveur

N'AIME PAS :
Se faire dire qu'elle est trop petite
pour comprendre

CITATION :
« Ce n'est pas ma tasse
de thé ! »

DÉFAUT :
Il est parfois
un peu sec

PASSE-TEMPS :
La pain-ture

AIME :
Se lever tôt le matin

N'AIME PAS :
Les yeux au
beurre noir

CITATION :
« J'adore jouer avec
les bonnes pâtes
comme toi ! »

TOASTOTTE

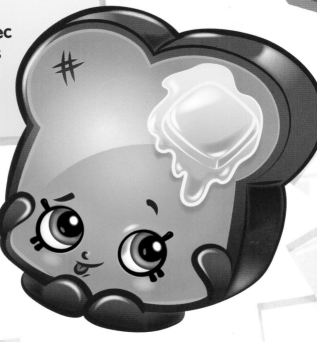

Le travail est le pain quotidien de
Toastotte. Quand il se retrouve
dans le pétrin, il sait toujours
trancher et trouver une solution.

BAGUELO

AIME :
Tout !

TEMPÉRATURE PRÉFÉRÉE :
Quand on cuit

DÉFAUT :
Il tourne parfois
les coins ronds

EXPRESSION PRÉFÉRÉE :
« Bagel qui roule
n'amasse pas mousse
au saumon »

PERSONNALITÉ :
Il est toujours
rempli de bonheur

CITATION :
« Sésame, ouvre-toi ! »

Baguelo est merveilleux au naturel et encore plus quand il commence à faire des farces. Ce Shopkins bien roulé est toujours prêt à « trou » faire pour ses amis.

RAYON 3
Qu'est-ce qu'on mange?

Les Shopkins de ces rayons regorgent de saveur ! Leur amitié assaisonnera ta vie et y mettra du piquant !

PRODUITS D'ÉPICERIE ET CUISINE DU MONDE

CONFIPOTINE

COULEUR PRÉFÉRÉE :
Rouge framboise

ACCESSOIRE PRÉFÉRÉ :
Son bonnet, car elle est souvent gelée !

PASSE-TEMPS :
Tricoter

OBJET FAVORI :
Son journal, dans lequel elle conserve ses souvenirs

MAUVAISE HABITUDE :
Elle a parfois tendance à tourner autour du pot

CITATION :
« Vous pouvez me confier tous vos secrets ! »

Cette grand-maman gâteau prend bien soin de tout le monde au supermarché des Shopkins. Elle a toujours un bon mot et de petites douceurs à offrir à tous ceux qui l'entourent.

####### SELDEMER #######

ON DIT D'ELLE QUE :
Avec elle, la vie est pleine
de saveurs !

N'AIME PAS :
Les personnes qui manquent de goût

SPORT PRÉFÉRÉ :
L'équitation, elle adore monter en selle

L'HIVER, ELLE AIME :
Les cristaux de neige

**ON LA VOIT
RAREMENT SANS :**
Poivrinette, leurs destins
sont scellés !

POIVRINETTE

SOUHAIT :
Arrêter d'éternuer !

COUSINS :
Jalapeno, Cayenne et Paprika !

RÊVE :
Recevoir le grand prix
de l'épice la plus utile !

CITATION :
« Il faut savourer la vie ! »

LIEUX PRÉFÉRÉS :
Ceux qui bourdonnent d'activité

MEILLEURE AMIE :
Miss Tea

ALLERGIE :
Pollen

CITATION :
«Les Shopkins,
quel buzz !»

******** FARINETTE *********

RECONNUE POUR :
Faire souvent des dégâts

AIME :
La lumière tamisée

N'AIME PAS :
Être confondue
avec le sucre en poudre

**PREMIÈRE CHOSE
QU'ELLE FAIT LE MATIN :**
Se poudrer les joues

S'ENTEND TRÈS BIEN AVEC :
Laitchouette

PASSE-TEMPS :
La musculation

AIME :
Les cadeaux-surprises

MATIÈRE PRÉFÉRÉE :
Toutes !
Avec lui, c'est dans la boîte !

PLUS GRANDE PEUR :
Devenir mou

CITATION :
« Avec moi,
vous aurez du bol ! »

CRUNCHY

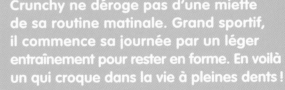

Crunchy ne déroge pas d'une miette de sa routine matinale. Grand sportif, il commence sa journée par un léger entraînement pour rester en forme. En voilà un qui croque dans la vie à pleines dents !

ÉDITION LIMITÉE

**** MISS TEA ******

COULEURS PRÉFÉRÉES ⁝
Noir et vert

ON DIT D'ELLE QUE ⁝
Elle a la science infuse !

TALENT SECRET ⁝
Lire dans les feuilles de thé

CITATION ⁝
« J'ai plus d'un tour dans mon sachet ! »

****** SUCRINETTE *******

JOUET PRÉFÉRÉ ⁝
Les cubes de construction

AIME ⁝
Tout ce qui est raffiné

PERSONNALITÉ ⁝
Toujours très douce et fine

TALENT SECRET ⁝
L'organisation.
Elle adore empiler des cubes

COULEURS PRÉFÉRÉES ⁝
Brun et blanc

******** FRITETTE *******

PERSONNALITÉ :
Parfois douce, parfois salée !

DÉFAUT :
Elle est souvent dans les patates !

AIME :
Changer de style.
Coupe julienne ou ondulée ?

MEILLEUR AMI :
Ketchoupy

****** TOUNETTE *****

ÉDITION LIMITÉE

JOUR PRÉFÉRÉ :
La journée du poisson d'avril

N'AIME PAS :
Les rires en canne

COULEUR PRÉFÉRÉE :
Tous les « thons » de bleu

CITATION :
« Je suis heureuse
comme un poisson
dans l'eau ! »

KETCHOUPY

MEILLEUR AMI :
Hotdoggy

AIME SE DÉGUISER EN :
Ketchup aux fruits

RIVAL :
Moutarda

N'AIME PAS :
Se sentir vidé

PERSONNALITÉ :
Il devient rouge comme une tomate quand il est gêné

CITATION :
« On peut m'utiliser à toutes les sauces ! »

 Tout le monde aime avoir Ketchoupy dans son groupe d'amis, car il vient toujours ajouter un petit quelque chose… de délicieux ! Il est toujours là pour assaisonner les conversations de blagues rigolotes.

******* SPAGUETTA ******

VOYAGE DE RÊVE :
Aller à Rome, en Italie

PLUS GRAND SECRET :
Sa recette de sauce

MAUVAISE HABITUDE :
Faire du bruit en mangeant

TALENT :
Le ballet. Elle tournoie
comme personne !

******* SOIFO *********

COULEUR PRÉFÉRÉE :
Aqua

MAUVAISE HABITUDE :
Bouillir de rage

SURNOM :
H_2O

SPORT FAVORI :
Soulever des haltères

CITATION :
« Vivre d'amour et d'eau fraîche ! »

PASSE-TEMPS :
Danser la salsa

DÉFAUT :
Il craque sous la pression

MEILLEUR AMI :
Chococo

PERSONNALITÉ :
Il répond
du tac au tac

CITATION :
« Caramba ! »

TACOSSA

Tacossa adore faire la fiesta ! Ce señor débordant de joie amuse tout le monde avec ses blagues croustillantes. Olé !

RAYON 4
La crème de la crème !

Tu t'apprêtes à parcourir les rayons les plus cool du supermarché ! Personne ici ne te jettera de regard froid et tout le monde sera emballé de te rencontrer !

PRODUITS LAITIERS ET SURGELÉS

FROMETTE

AIME :
Être le centre
de l'attention

RÉPUTATION :
C'est le gratin
des Shopkins

MUSICIEN PRÉFÉRÉ :
Mozart-ella

VOYAGE DE RÊVE :
Aller voir les
Alpes suisses

MEILLEURS AMIS :
Poipois et Burgy

CITATION :
« Je fonds pour toi ! »

Fromette a un talent secret : il compose du rap.
Écoute sa nouvelle chanson : *C'est moi, Fromette,
le fromage, je suis tout un personnage. Avec moi,
ça déménage et le plaisir se propage !*

****** BOUTONDOR ***

ÉDITION LIMITÉE

TALENT SECRET :
Il a bon goût !

N'AIME PAS :
Quand ses opinions comptent
pour du beurre

ON DIT DE LUI QUE :
Il beurre parfois
un peu trop épais...

RUMEUR :
Lui et Laitchouette seraient
des jumeaux séparés
à la naissance...

****** POIPOIS *******

TEMPÉRATURE PRÉFÉRÉE :
Quand il y a de la neige

REPAS PRÉFÉRÉ :
La soupe

JEU PRÉFÉRÉ :
Les billes

CITATION :
« Ne jamais sous-estimer
un petit pois ! »

35

******** FROZIE *********

FAIT AMUSANT :
On dit qu'elle a une jumelle...

SPORTS PRÉFÉRÉS :
Le patinage sur glace et la glissade

ACTIVITÉ PRÉFÉRÉE :
Faire des bonshommes de neige

CITATION :
« Prenons ça cool ! »

********** YAOURTY *******

PERSONNALITÉ :
Elle est très cultivée

JEU PRÉFÉRÉ :
Le yo-yo

ACTIVITÉ PRÉFÉRÉE :
Tourbillonner sur
la piste de danse

STYLE VESTIMENTAIRE :
Elle aime essayer
de nouveaux accessoires !

N'AIME PAS :
Les vêtements laids

ANIMAL PRÉFÉRÉ :
La vache

MAUVAISE HABITUDE :
Elle a tendance à ruminer son chagrin

BOISSON FAVORITE :
Le lait de poule

MEILLEURE BLAGUE :
« Que donnent les vaches en hiver ? De la crème glacée ! »

LAITCHOUETTE

 Tu ne t'ennuieras pas avec Laitchouette ! On n'a pas moussé sa réputation : il est bien vrai que peu importe ce que vous entreprendrez ensemble, vous allez cartonner !

Il y a toujours une bonne raison de célébrer avec ces joyeux Shopkins ! Que ce soit un anniversaire ou un soir tout à fait normal, tes amis de ces rayons trouvero toujours le moyen de mettre l'ambiance à la fête !

CONFISERIE ET PRODUITS DE LA FÊTE

GATORIGOLO

✳✳✳✳✳✳ ✳✳✳✳✳✳

SECRET MODE :
Toutes les couleurs lui vont bien !

MEILLEURE AMIE :
Sodapops

SPORT PRÉFÉRÉ :
Le tir à l'arc

AIME :
Les personnages colorés

CITATION :

« Il faut toujours un peu
de pluie pour avoir
un arc-en-ciel ! »

✳✳✳✳✳✳✳ SODAPOPS ✳✳✳✳✳✳✳

PERSONNALITÉ :
Elle est souvent dans sa bulle

N'AIME PAS :
Être secouée

PASSE-TEMPS :
Rafraîchir sa garde-robe

CITATION :

« Je déteste faire
éclater votre bulle... »

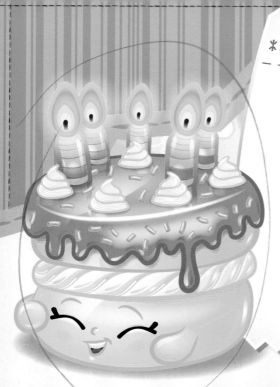

***** CAKEBIRTHDAY *****

RECONNUE POUR :
Organiser des fêtes surprises

MUSIQUE PRÉFÉRÉE :
Le bougie-woogie

PORTE-BONHEUR :
La bougie de son
premier anniversaire

SPORT PRÉFÉRÉ :
La gymnastique,
elle exécute particulièrement
bien la chandelle !

********** GELY **********

PLUS GRANDE QUALITÉ :
Sa transparence

PLUS GRANDE FIERTÉ :
Ses saveurs sont illimitées

SAISON FAVORITE :
L'hiver. Elle aime
beaucoup être gelée !

CITATION :
« Pour ceux que j'aime,
je ferais la traversée
du dessert ! »

******* LOLISUCETTE ******

TALENT SECRET :
Toucher le bout de son nez
avec sa langue

DÉFAUT :
Elle peut parfois être
un peu collante

PERSONNALITÉ :
Très énergique
et elle a la tête dure !

SPORT PRÉFÉRÉ :
Tous les sports
avec un bâton !

***** CHEWBUBBLY ******

ACTIVITÉ PRÉFÉRÉE :
S'éclater avec ses amis

DÉFAUT :
Elle ne mâche pas ses mots

TALENT SECRET :
Elle lit dans les boules
de cristal

EXPRESSION PRÉFÉRÉE :
« Mystère et
boule de gomme »

CHOCOLETTE

MEILLEURES AMIES :
Donuta, Pommette et Machlou

PLUS GRANDE PEUR :
Rester sur la tablette

ANIMAL PRÉFÉRÉ :
Le lapin de Pâques

COULEURS PRÉFÉRÉES :
Noir, brun et blanc

CITATION :
« Quoi ?
Tu n'es pas fait
en chocolat ? »

Chocolette aime rire et jouer des tours aux autres Shopkins. Elle n'a pas peur de se salir les mains !

******* GIVRETTE *******

N'AIME PAS :
La chaleur, ça la dégoûte

MEILLEURE AMIE :
Gauffry

PLUS GRANDE PEUR :
Avoir mal à la tête après avoir
mangé quelque chose de froid
trop vite

**INSTRUMENT DE
MUSIQUE PRÉFÉRÉ :**
Le cornet

******* MACHLOU *******

ON DIT D'ELLE QUE :
Elle est très tendre

MEILLEURE AMIE :
Chocolette

AIME :
Raconter des histoires
près du feu

ACTIVITÉ PRÉFÉRÉE :
Le camping

ÉDITION
LIMITÉE

43

ÉDITION LIMITÉE

****** CHOUETTECAKE ******

PERSONNALITÉ :
Elle est remplie de surprises !

QUALITÉ :
Elle met toujours
les bouchées doubles

ANIMAL PRÉFÉRÉ :
La chouette

RÉPUTATION :
Elle est la crème de la crème

CITATION :

« Je suis emballée
d'être ton amie ! »

********* RIGLISSA *********

TRUC MODE :
Superposer des couches
de différentes couleurs

RÉPUTATION :
On dit qu'elle est un goût
qui se développe

MEILLEURE AMIE :
Bonbonbon

ACTIVITÉ PRÉFÉRÉE :
Aller glisser, glisser encore
et reglisser

******* QUEENYCAKE *******

AIME :
Organiser de grands bals

ACCESSOIRE PRÉFÉRÉ :
Une couronne de glaçage

OBJET QUI LUI EST CHER :
Ses pantoufles de velours

CÉLÈBRE POUR :
Ses événements
couronnés de succès

ÉDITION LIMITÉE

****** POPCORNI ********

PASSE-TEMPS :
Aller au cinéma

MUSIQUE PRÉFÉRÉE :
La pop

TALENT SPORTIF :
Elle n'en a pas !
Elle a le souffle trop court !

RÊVE :
Être la plus pop-pop-populaire

CITATION :
« Ce que l'on s'éclate ici ! »

GLACETTE

COULEUR PRÉFÉRÉE :
Rouge cerise

MEILLEURE AMIE :
Givrette

PORTE-BONHEUR :
Son soulier de verre

MOUVEMENT DE DANSE PRÉFÉRÉ :
La split

TALENT :
Elle peut tenir très longtemps en équilibre sur un seul pied

CE QU'ELLE DEMANDE CHEZ LE COIFFEUR :
Une coupe glacée

Voici la sensation de l'heure : Glacette, la sublime coupe glacée, la crème de la crème, la cerise sur le sundae des Shopkins !

****** MACARONA ********

PERSONNALITÉ :
Un caractère haut en couleur

VOYAGE DE RÊVE :
Aller voir la tour Eiffel

PARFUM PRÉFÉRÉ :
Vanille française

N'AIME PAS :
Se faire traiter
de hamburger

CITATION :
« Oh là là ! »

******* POMAMOUR *******

PERSONNALITÉ :
Elle est très affectueuse et aime beaucoup
se coller contre ceux qu'elle aime

LIEUX PRÉFÉRÉS :
Les fêtes foraines

AIME :
Les carrousels

TALENT :
Chanter la pomme

AIME :
Les surprises

PLUS GRANDE QUALITÉ :
La générosité

PERSONNALITÉ :
Elle est toujours emballée

PLUS GRANDE PEUR :
Oublier un anniversaire

ACCESSOIRES PRÉFÉRÉS :
Les rubans

MISSKADO

CITATION :
« Je donne toujours le meilleur de moi-même ! »

 Selon Misskado, rien n'est plus important que de vivre le moment présent, car la vie est toujours pleine de surprises. Elle a le don de garder les secrets, même si elle a toujours très envie de s'ouvrir aux autres.

********** CONY **********

COULEUR PRÉFÉRÉE :
Crème

SPORT PRÉFÉRÉ :
Le hockey sur glace

COIFFURE PRÉFÉRÉE :
Les cheveux gaufrés

PERSONNALITÉ :
Elle est très émotive,
elle fond souvent en larmes

******** SMOUSSI ********

MEILLEUR AMI :
Panicake

TYPE D'HUMOUR :
Ses blagues sont rafraîchissantes

COULEUR PRÉFÉRÉE :
Bleu

PERSONNALITÉ :
Elle est un peu mélangée,
mais toujours très cool

ACTIVITÉ PRÉFÉRÉE :
Lire le journal le dimanche matin

AIME :
Faire la grasse matinée et se retourner plusieurs fois dans son lit avant de se lever

N'AIME PAS :
Se crêper le chignon

ARBRE PRÉFÉRÉ :
L'érable

TALENT :
La gymnastique. Ses saltos avant et arrière sont très bien réussis !

PANICAKE

Ta journée ne tombera pas à plat si tu te réveilles avec cette bonne pâte de Panicake ! Parole de Shopkins !

Tu feras certainement bon ménage avec les Shopkins de ce rayon. Viens t'entretenir avec eux et découvrir la personnalité propre à chacun !

PRODUITS D'ENTRETIEN

DANSE PRÉFÉRÉE :
Le ballet

AIME :
Voir son reflet
sur un plancher
étincelant
de propreté

RÉPUTATION :
Elle a une solide
éthique de travail

SPORT PRÉFÉRÉ :
Le « seau » à la corde

PERSONNALITÉ :
Elle est très
intelligente, c'est une
véritable éponge

SERPY

 Serpy est certainement travaillante, mais elle sait aussi
se ménager et prendre du temps pour s'amuser !

******* ROULOTA *******

PLUS GRANDE PEUR :
Que les choses se déroulent mal

AIME :
Lire un bon magazine

N'AIME PAS :
Être au bout du rouleau

DÉGUISEMENT PRÉFÉRÉ :
La momie

******** GANTY ******* ÉDITION LIMITÉE

MEILLEURE AMIE :
Serpy

SPORT PRÉFÉRÉ :
Les sports nautiques

ON DIT D'ELLE QUE :
Elle n'a pas peur de se mouiller

PERSONNALITÉ :
Elle sait toujours comment
se tirer d'une sale affaire

CITATION :
« Pouvez-vous me donner
un coup de main ? »

VITROUNETTE

PERSONNALITÉ :
Il mène une vie
bien rangée

DÉFAUT :
Il postillonne

SAISON FAVORITE :
Le printemps

ARME SECRÈTE :
L'étincelle dans
ses yeux

S'ENTEND TRÈS BIEN AVEC :
Roulota

ACTIVITÉ PRÉFÉRÉE :
Faire du
lèche-vitrine

CITATION :
« Il faut en avoir
le cœur net ! »

Vitrounette est très responsable et a un parcours sans taches !
Il aime les discussions animées et quand il se frotte à quelqu'un,
il le fait très poliment afin que tous ressortent de la conversation
plus brillants.

RAYON 7
La chaleur du foyer !

Bienvenue dans les allées les plus chaleureuses du supermarché ! Viens cajoler les mignons produits pour bébé, amuse-toi dans le confort de ta maison avec les articles ménagers et invente des histoires dans la papeterie !

PRODUITS POUR BÉBÉ, ARTICLES MÉNAGERS ET PAPETERIE

TOTOTTE

INSTRUMENT DE MUSIQUE PRÉFÉRÉ :
Le hochet

TALENT SECRET :
Maintenir la paix

DÉFAUT :
Elle s'endort partout

PLUS GRANDE PEUR :
Être remplacée par un pouce

CITATION :
« Avec moi, finis les pleurs ! »

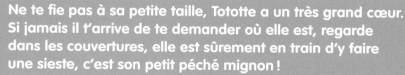

Ne te fie pas à sa petite taille, Tototte a un très grand cœur. Si jamais il t'arrive de te demander où elle est, regarde dans les couvertures, elle est sûrement en train d'y faire une sieste, c'est son petit péché mignon !

********** BIBY **********

SHOPKINS QU'ELLE ADMIRE :
Tassette

PASSE-TEMPS :
Se réchauffer dans un bon bain chaud

MUSIQUE PRÉFÉRÉE :
Les comptines

COULEUR PRÉFÉRÉE :
Vert bouteille

RÊVE :
Plus tard, elle aimerait faire le tour
du monde en devenant
une bouteille à la mer

****** TASSETTE *******

MEILLEURE AMIE :
Tototte

AIME :
Fredonner des berceuses

PORTE-BONHEUR :
Son ourson en peluche

RÉPUTATION :
Ne déborde jamais du sujet

CITATION :
« La vie est gorgée
de beaux moments ! »

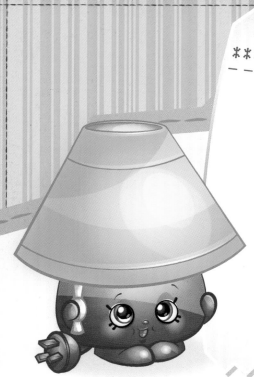

******** LAMPA ********

PERSONNALITÉ :
Brillante et allumée

PLUS GRANDE PEUR :
Avoir des ampoules aux pieds

QUALITÉ :
Elle réfléchit à la vitesse
de la lumière

CITATION :
« Il y a de l'électricité
dans l'air ! »

****** MIXTOU ********

PERSONNALITÉ :
Elle est parfois un peu mélangée

TALENT SECRET :
C'est une super DJ,
car elle adore mixer de la musique

MAUVAISE HABITUDE :
Couper la parole

ON DIT D'ELLE QUE :
Elle est la plus branchée des Shopkins

CITATION :
« Le courant passe
entre nous ! »

GRILLETTE

PASSE-TEMPS :
Organiser des fêtes
et y porter
des toasts

MEILLEUR AMI :
Boutondor

AIME :
Se faire griller au soleil

N'AIME PAS :
Quand un secret lui
brûle les lèvres

HISTOIRES PRÉFÉRÉES :
Les tranches
de vie

CITATION :
«Un pour toast,
toast pour un !»

 Grillette est toujours très chaleureuse et sait porter des toasts comme personne ! Tout le monde sait que lorsque l'on veut organiser un bien-cuit en l'honneur d'un des Shopkins, c'est elle qu'il faut inviter !

TELEFONA

PLUS GRANDE QUALITÉ :
Elle a toujours un bon mot à dire sur ses camarades

AIME :
Les rumeurs

JEU PRÉFÉRÉ :
Le téléphone

MEILLEURE AMIE :
Iphonou

PRISE DE LUTTE FAVORITE :
La prise téléphonique

CITATION :
« Appelle-moi ! »

 On n'en fait plus des comme elle ! Et c'est dommage, car même si elle est un peu vieux jeu, elle ne perd jamais le fil de la conversation et on peut bavarder avec elle pendant des heures.

******* FRIGOLOTTE *******

PERSONNALITÉ :
Vraiment cool

MAUVAISE HABITUDE :
Laisser la porte et
les lumières ouvertes

TEMPÉRATURE PRÉFÉRÉE :
Les temps froids

N'AIME PAS :
Les pannes de courant,
ça lui donne des chaleurs

****** FAUTILLOU ******

JEU PRÉFÉRÉ :
La chaise musicale

PASSE-TEMPS :
S'installer confortablement
avec un bon livre

PERSONNALITÉ :
Il est très doux et douillet

FAMILLE :
Il a beaucoup de coussins
et coussines

RÊVE :
Siéger au fauteuil d'un
grand comité

PERSONNALITÉ :
Elle est très attachée
à ses racines

MEILLEURE AMIE :
Mentisse

**STYLE
VESTIMENTAIRE :**
Les motifs fleuris

AIME :
Cultiver son
jardin secret

**MAUVAISE
HABITUDE :**
Faire planter
l'ordinateur

POTIPOT

CITATION :
« J'ai découvert
le pot aux roses ! »

La fine fleur des Shopkins ! Potipot est de nature
aventurière et est toujours partante pour une activité
de plein air.

******** TELEDO ********

AIME :
Quand tout le monde la regarde

RÉPUTATION :
Elle est toujours au courant de tout

PERSONNALITÉ :
Elle est peut-être un écran plat,
mais elle est tout sauf ennuyante

DÉGUISEMENT PRÉFÉRÉ :
Les oreilles de lapin

CITATION :
« Regardez-moi ! »

****** CRAYONOU *******

PASSE-TEMPS :
Écrire et dessiner

ON DIT D'ELLE QUE :
Elle a toujours bonne mine

RECONNUE POUR :
Sa plume aiguisée

CITATION :
« Je laisse ma marque
partout où je vais ! »

******** GOMMELA ********

PASSE-TEMPS :
Pratiquer la magie — elle adore
faire disparaître des choses

COULEUR PRÉFÉRÉE :
Rose

MEILLEURE AMIE :
Crayonou

AIME :
Recommencer

CITATION :
« On fait tous
des erreurs ! »

******** AGENDOU ********

PERSONNALITÉ :
Elle est très discrète

AIME :
Se rappeler de vieux souvenirs

N'AIME PAS :
Ceux qui ne savent pas
garder un secret

ON DIT D'ELLE QUE :
Elle est toujours à la page

CITATION :
« On ne peut pas lire en moi
comme dans un livre ouvert ! »

RAYON 9
À votre santé!

Dans ce rayon, tu trouveras des Shopkins qui ont ton bien-être à cœur. Un petit conseil mode par-ci, un truc santé par-là; ici, tout le monde comprend très bien que la vraie beauté est à l'intérieur de soi.

SANTÉ ET BEAUTÉ

TRUC MODE :
Agencer la couleur
avec son humeur

PASSE-TEMPS :
Faire du théâtre
et magasiner

QUALITÉ :
Quand elle raconte
des histoires, tout le
monde est suspendu
à ses lèvres

CITATION :
« Passez une
magnifique journée ! »

DÉFAUT :
Elle rougit
facilement

**MEILLEURES
AMIES :**
Pommette,
Onglette et Poirette

GLOSSY

 Il n'y a qu'un mot pour décrire cette fashionista :
resplendissante ! Son nom est sur toutes les lèvres
et ce n'est pas pour rien, car elle laisse
sa marque partout où elle va.

******** **ONGLETTE** ********

TRUC MODE :
Essayer de nouvelles couleurs

PERSONNALITÉ :
Elle est toujours très polie

PASSE-TEMPS :
Faire des manucures

CITATION :
« La perfection jusqu'au
bout des ongles ! »

***** **PATADENT** *******

PLUS GRAND ATOUT :
Son sourire étincelant

SAVEUR PRÉFÉRÉE :
La menthe

PERSONNALITÉ :
Quand on a une dent contre lui,
il réagit avec sagesse

CITATION :
« Il faut mordre dans la vie
à pleines dents ! »

***** SHAMPOUINOU *****

N'AIME PAS :
Avoir un cheveu sur la langue

HISTOIRES PRÉFÉRÉES :
Les histoires d'horreur à faire dresser
les cheveux sur la tête

FRUIT PRÉFÉRÉ :
La pomme de douche

AIME :
Chanter sous la douche

**MOUVEMENT DE
DANSE PRÉFÉRÉ :**
La vague

**** SHAMPOUI'NETTE ***

ACTIVITÉ PRÉFÉRÉE :
Le conditionnement physique

SCIENTIFIQUE PRÉFÉRÉ :
Darwin et sa théorie de « l'évo-lotion »

N'AIME PAS :
Se fendre les cheveux en quatre

MEILLEURE AMIE :
Shampouinou

PASSE-TEMPS :
Elle a toujours de nouvelles idées
pour revitaliser le supermarché
des Shopkins !

ACCESSOIRE PRÉFÉRÉ :
Ses lunettes de soleil

AIME :
Se la couler douce dans toutes ses plages horaires

SAISON FAVORITE :
L'hiver... Mais non ! L'été, bien sûr !

COULEUR PRÉFÉRÉE :
L'ultraviolet

CITATION :
« Avec moi, vos soucis disparaîtront comme neige au soleil ! »

SOLEIA

ÉDITION LIMITÉE

SPF 30+

Il est vrai que Soleia est souvent très inquiète, mais au fond, elle ne souhaite que protéger ses amis. Pour elle, plusieurs ont eu le coup de foudre, mais jamais de coup de soleil !

 ******** **MIRROIRA** *******

PERSONNALITÉ :
Elle est très réfléchie

PLUS GRANDE PEUR :
Subir sept ans de malheur

PLUS GRANDE QUALITÉ :
Elle est très appliquée

RÊVE :
Habiter dans un château « fard »

 ********** **BROSSINE** *******

AIME :
Jouer

MEILLEURE AMIE :
Mirroira

COULEUR PRÉFÉRÉE :
Rose

PASSE-TEMPS :
La peinture

RECONNUE POUR :
Ses belles joues roses

★★★★★★ PARFUMETE ★★★★★★★★

AIME :
Le romantisme

STYLE VESTIMENTAIRE :
Très chic !

VOYAGE DE RÊVE :
Cologne, en Allemagne

CITATION :
« Il y a de l'amour dans l'air ! »

ÉDITION LIMITÉE

ÉDITION LIMITÉE

★★★★★★ FLACONOU ★★★★★★★

AIME :
L'odeur du succès

COULEURS PRÉFÉRÉES :
Les couleurs de l'arc-en-ciel

PORTE-BONHEUR :
Sa boule de cristal

CITATION :
« Je peux vous mener
par le bout du nez »

****** PARFUMISS *****

FÊTE PRÉFÉRÉE :
La fête des Mères

TALENT :
Elle sait flairer les bonnes affaires

SPORT PRÉFÉRÉ :
Le saut en odeur

N'AIME PAS :
Qu'on lui fasse
un pied de nez

****** VAPORISS *****

PASSION :
Participer à des concours de beauté

PASSE-TEMPS :
Aérobie

AIME :
La douce brise de l'océan

TEMPÉRATURE PRÉFÉRÉE :
Quand il y a de la brume

CITATION :
« Je suis un parfum
dans le vent ! »

******** SENBON ********

PERSONNALITÉ :
Elle est très forte

MEILLEURE AMIE :
Candykiss

FÊTE PRÉFÉRÉE :
La Saint-Valentin

PASSE-TEMPS :
Lire des romans d'amour

DÉFAUT :
Elle met son nez un peu partout

ÉDITION LIMITÉE

******** PCHITOU *****

ÉDITION LIMITÉE

PASSION :
L'aromathérapie

PERSONNALITÉ :
Éclatante

AIME :
Se sentir bien

ACTIVITÉ PRÉFÉRÉE :
Prendre le temps de respirer

Des Shopkins magnifiques de la tête aux pieds. Les souliers font des courses de folie, les chapeaux font tourner bien des têtes et les accessoires ont plus d'un tour dans leur sac !

CHAUSSURES, CHAPEAUX ET ACCESSOIRES

****** PANTOUFLETTE *****

ANIMAL PRÉFÉRÉ :
Le lapin

PERSONNALITÉ :
Elle est pantouflarde et toujours très douce

VÊTEMENT PRÉFÉRÉ :
La robe de chambre

ÉVÉNEMENT FAVORI :
Les soirées pyjama

MEILLEURE CACHETTE :
En dessous du lit

CITATION :
« Avec moi, vous vous lèverez du bon pied ! »

******** BASKETA *******

SPORT PRÉFÉRÉ :
Le basketball

ENDROIT FAVORI :
Le gym,
c'est le pied !

MAUVAISE HABITUDE :
Faire marcher
ses amis

CITATION :
« On trouve toujours chaussure à son pied ! »

******* SCARPINA *********

DÉFAUT
Elle peut parfois casser
les pieds de ses amis

AIME
S'habiller chic

PASSE-TEMPS
Coudre ses propres vêtements
avec ses talons aiguilles

PERSONNALITÉ
Elle marche toujours sur la pointe
des pieds, mais elle n'est pas
discrète pour autant !

****** BOTTINNETTE ****

ÉDITION
LIMITÉE

AIMERAIT ÊTRE
Enseignante, car elle a de la classe

N'AIME PAS
Avoir l'estomac
dans les talons

PERSONNALITÉ
Elle n'aime pas se faire traîner
dans la boue

ON DIT D'ELLE QUE
Elle ne se sent jamais petite
dans ses souliers

CITATION
« Avec moi, pas de
faux pas ! »

BASKETINE

PASSION :
Le sport

MEILLEURE AMIE :
Sandalotte

TALENT :
Faire des nœuds, elle les connaît tous !

N'AIME PAS :
Les comportements antisportifs

PERSONNALITÉ :
Elle sait toujours comment se sortir d'un mauvais pas

MAUVAISE HABITUDE :
Sortir la langue

CITATION :
« Si tu n'essaies pas, tu ne gagneras jamais ! »

Basketine saute dans l'action au pied levé !
Elle a un esprit compétitif et rares sont ceux qui lui arrivent ne serait-ce qu'à la cheville.

******** **TALOUNA** ********

MEILLEURE AMIE :
Scarpina

VOYAGE DE RÊVE :
Participer à la semaine de la mode
à Paris

PERSONNALITÉ :
Elle a toujours des idées
de grandeur

CITATION :
« En mode, il y a une
chose sûre :
les chaussures ! »

******* **SANDALOTTE** *****

PERSONNALITÉ :
Elle est encore une enfant dans son cœur

PLUS GRANDE QUALITÉ :
Sa transparence

ON DIT D'ELLE QUE :
Elle est bien élevée

CITATION :
« Est-ce que
je suis claire? »

PAS DE DANSE PRÉFÉRÉ :
Le *moonwalk*

MEILLEURE AMIE :
Soussou

RECONNUE POUR :
Son sens de l'humour

N'AIME PAS :
Faire un faux pas

CITATION :
« Ces bottes sont faites pour marcher ! »

BASKOKINE

Baskokine est la reine de la piste de danse ! Elle connaît tous les mouvements sur le bout des orteils et ne se lasse pas de les enseigner aux autres Shopkins.

******* PLUVIETTE *******

PASSE-TEMPS :
Sauter dans les flaques d'eau

SPORT PRÉFÉRÉ :
Le judo

ACTIVITÉ PRÉFÉRÉE :
Parler de la pluie et du beau temps

MATIÈRE PRÉFÉRÉE :
La botte-anique

CITATION :
« Parfois, il faut
se jeter à l'eau ! »

******** CHAPLUIE *******

PERSONNALITÉ :
Elle est imperméable aux méchancetés

COULEUR PRÉFÉRÉE :
Jaune

AIME :
Les arcs-en-ciel

MEILLEURE AMIE :
Sa sœur, Pluviette, à qui
elle ressemble comme
deux gouttes d'eau

SPORT PRÉFÉRÉ :
Le hockey, pour faire des tours
du chapeau

CASQETTA

Chapeau à ce Shopkins toujours en tête de liste !
Si tu as l'impression qu'il te regarde de haut, dis-toi
que c'est simplement parce qu'il a le soleil dans
les yeux !

AIME :
Être transportée
de joie

PASSE-TEMPS :
Aller dans des bals

PERSONNALITÉ :
Elle garde tout en
dedans, mais ça lui
ferait du bien parfois
de vider son sac !

RÉPUTATION :
Elle connaît le
supermarché comme
le fond de sa poche

CITATION :
« C'est dans la poche ! »

SACMIMINE

Sacmimine a plus d'un tour dans son sac et elle
a toujours tout ce qu'il faut avec elle : argent,
collations, mouchoirs... et beaucoup de rires !

********* **DIAMS** *********

PERSONNALITÉ :
Elle est brillante

ÉDITION LIMITÉE

PASSE-TEMPS :
Assister à des mariages

COULEUR PRÉFÉRÉE :
Bleu saphir

RÉPUTATION :
Elle est précieuse

CITATION :
« Un bijou de Shopkins ! »

ÉDITION LIMITÉE

**** **BAGAMOUR** ******

PASSION :
La musique rock

COULEUR PRÉFÉRÉE :
Rubis

MEILLEURE AMIE :
Diams

AIME :
En avoir pour son argent

RÉPUTATION :
Elle connaît ses amis sur le bout des doigts

PERSONNALITÉ :
Elle est organisée et ponctuelle

SPORT PRÉFÉRÉ :
La course contre la montre

PLUS GRANDE PEUR :
Arriver en retard

ACTIVITÉ PRÉFÉRÉE :
Regarder le temps passer

CITATION :
« Le sens de la vie ?
Celui des aiguilles
d'une montre ! »

TICTAC

ÉDITION LIMITÉE

Tout est toujours réglé comme une horloge avec Tictac.
Tu vas voir, à la minute où tu seras avec elle, le temps
va filer beaucoup trop vite !

CHARMISS

RECONNUE POUR :
Être chanceuse

TRUC MODE :
Porter des accessoires qui se complètent bien

MEILLEURE AMIE :
Tictac

ACTIVITÉ PRÉFÉRÉE :
Passer du temps avec ses copines et ses copains

N'AIME PAS :
Avoir le cœur brisé

ÉDITION LIMITÉE

CITATION :
« Amies pour la vie ! »

Quelle charmante amie à avoir que cette Charmiss ! En amitié, elle ne fait jamais les choses à moitié et sans ses copains et ses copines, elle ne se sent jamais complète.

BIJOURELLA

ÉDITION LIMITÉE

PERSONNALITÉ :
Elle est un diamant brut

COULEUR PRÉFÉRÉE :
Vert émeraude

QUALITÉ :
Elle a une bonne écoute

PASSE-TEMPS :
Le crochet

RÉPUTATION :
Elle a toujours le sourire fendu
jusqu'aux oreilles

Il n'y a pas d'oreille plus attentive que celle de Bijourella et elle a toujours une idée formidable pour encourager ses amis. Si tu veux, tu peux !

SOUSSOU

PERSONNALITÉ :
Elle n'a pas la langue dans sa poche

AIME :
Que les choses soient à portée de main

COULEURS PRÉFÉRÉES :
Or et argent

RECONNUE POUR :
Rendre la monnaie de sa pièce

PEINTRE FAVORI :
Monet

CITATION :
« Avec moi, le rire est monnaie courante ! »

Pour cette petite bourse, l'amitié n'est pas accessoire. C'est pour cela qu'elle se dépense sans compter pour aider ses camarades.

RAYON 10
Compagnons mignons

Ici, tu trouveras les meilleurs amis des Shopkins : les adorables Petkins. Qu'ils aiment apprendre de nouveaux tours ou encore se nicher dans des bras douillets et se faire minoucher, ils sont de merveilleux et fidèles compagnons.

PETKINS

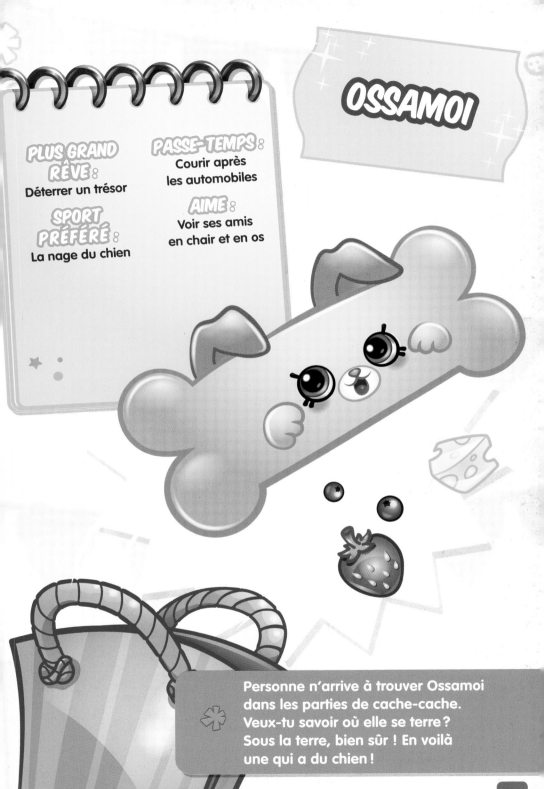

OSSAMOI

PLUS GRAND RÊVE :
Déterrer un trésor

SPORT PRÉFÉRÉ :
La nage du chien

PASSE-TEMPS :
Courir après les automobiles

AIME :
Voir ses amis en chair et en os

Personne n'arrive à trouver Ossamoi dans les parties de cache-cache. Veux-tu savoir où elle se terre ? Sous la terre, bien sûr ! En voilà une qui a du chien !

******* POISSINOU *******

MOUVEMENT DE DANSE PRÉFÉRÉ :
La vague

PASSE-TEMPS :
Nager et manger

MEILLEURE AMIE :
Bocalou

SAISON FAVORITE :
L'hiver, pour les flocons de neige

PERSONNALITÉ :
Il est toujours heureux comme
un poisson dans l'eau

******** TARTAMOI ********

LIEUX PRÉFÉRÉS :
Les endroits desserts

RÉPUTATION :
Un Petkins sur lequel on peut compter,
croûte que croûte !

AIME :
Desservir la table

PERSONNALITÉ :
Se laisse apprivoiser
facilement

N'AIME PAS :
Quand ce n'est pas de la tarte

TASSINA

MEILLEURE AMIE :
Laipaille

PERSONNALITÉ :
Elle est chat-leureuse

JEU PRÉFÉRÉ :
Les devinettes, pour
donner sa langue
au chat

ACTIVITÉ PRÉFÉRÉE :
Tourner en
rond-rond

PASSE-TEMPS :
Tricoter, mais surtout
jouer avec des
balles de laine

CITATION :
« Miaou ! »

Le temps passé avec Tassina est un pur bonheur.
Ce petit « chat-colat » chaud adore jouer, mais encore
plus se blottir confortablement contre ses amis Shopkins
après une journée bien remplie.

******** LAIPAILLE ********

AIME :
Les câlins

JEU PRÉFÉRÉ :
Ramener la balle

PERSONNALITÉ :
Elle est vachement
sympathique

CITATION :
« Wouf ! »

****** COMANDINE ******

PERSONNALITÉ :
Elle prend les commandes

N'AIME PAS :
Perdre le contrôle

ACTIVITÉS PRÉFÉRÉES :
Japper et zapper

PLUS GRANDE PEUR :
Se faire poser un lapin

AIME :
Dresser des listes

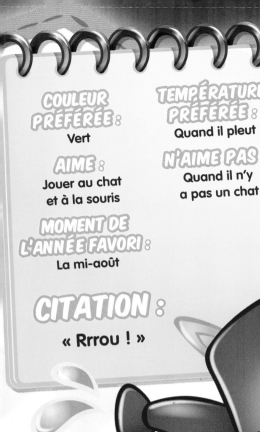

COULEUR PRÉFÉRÉE :
Vert

TEMPÉRATURE PRÉFÉRÉE :
Quand il pleut

AIME :
Jouer au chat
et à la souris

N'AIME PAS :
Quand il n'y
a pas un chat

MOMENT DE L'ANNÉE FAVORI :
La mi-août

CITATION :

« Rrrou ! »

BOUILLOU

Bouillou déborde de joie, mais est plutôt maladroit. S'il adore aider dans le jardin, c'est surtout parce qu'il peut s'étendre au soleil et se la couler douce !

LISTE DE COURSES SHOPKINS

NIVEAU DE RARETÉ :

- ○ CLASSIQUE
- ● RARE
- ● ULTRA-RARE
- ● ÉDITION SPÉCIALE

SERS-TOI DE CETTE LISTE POUR SAVOIR QUELS SHOPKINS IL TE MANQUE !

FINITION :

- PAILLETTE
- GIVRÉ
- MÉTALLISÉ
- BLING
- BÉBÉ DOUILLET

 Il y a tant de Shopkins à connaître !
Utilise cette liste pour pouvoir tous les collectionner.

::::::::::SAISON 1:::::::::
****PRODUITS D'ÉPICERIE****

Ketchoupy
1-015

Cahouette
1-016

Poivrinette
1-017

Seldemer
1-018

Sucrinette
1-019

Crunchy
1-020

Soupette
1-021

Confipotine
1-022

Sirochouette
1-023

Ketchoupy
1-024

Cahouette
1-025

Poivrinette
1-026

Seldemer
1-027

Sucrinette
1-028

Crunchy
1-029

Soupette
1-030

Confipotine
1-031

Sirochouette
1-032

:::::::::::SAISON 2:::::::::::
*** PRODUITS D'ÉPICERIE ***

Farinette
2-069

Flajolie
2-070

Spaguetta
2-071

Olivette
2-072

Mielou
2-073

Alumiss
2-074

Boncaf
2-075

Moutarda
2-076

Crakiss
2-077

Farinette
2-078

Flajolie
2-079

Spaguetta
2-080

Olivette
2-081

Mielou
2-082

Alumiss
2-083

Boncaf
2-084

Moutarda
2-085

Crakiss
2-086

::::::::::SAISON 1::::::::::
****FRUITS ET LÉGUMES*****

Pommette 1-001 Choupinette 1-002 Fraisy 1-003 Annana 1-004

Pastiquette 1-005 Chantemignon 1-006 Poirette 1-007 Pommette 1-008

Choupinette 1-009 Fraisy 1-010 Annana 1-011 Pastiquette 1-012

Chantemignon 1-013 Poirette 1-014

::::::::::SAISON 2::::::::::
**** FRUITS ET LÉGUMES ****

Chouflette 2-001 Citronette 2-002 Orangette 2-003 Maissy 2-004

Aillou 2-005 Oignonette 2-006 Avocado 2-007 Pimenty 2-008

Chouflette 2-009 Citronette 2-010 Orangette 2-011 Maissy 2-012

Aillou 2-013 Oignonette 2-014 Avocado 2-015 Pimenty 2-016

:::::::::SAISON 3:::::::::
**** FRUITS ET LÉGUMES ****

Pechouille
3-069

Carotina
3-070

Poipoisy
3-071

Kiwette
3-072

Asperga
3-073

Celerio
3-074

Framby
3-075

Tittomate
3-076

Pechouille
3-077

Carotina
3-078

Poipoisy
3-079

Kiwette
3-080

Asperga
3-081

Celerio
3-082

Framby
3-083

Tittomate
3-084

:::::::SAISON 4:::::::::
**** FRUITS ET LÉGUMES *****

Saladete
4-001

Patati
4-002

Champignou
4-003

Griotine
4-004

Abricoto
4-005

Saladete
4-006

Patati
4-007

Champignou
4-008

Griotine
4-009

Abricoto
4-010

SAISON 1
****** BOULANGERIE ******

Panette
1-033

Briochette
1-034

Donuta
1-035

Cheesycake
1-036

Muffinette
1-037

Gatochouette
1-038

Cooky
1-039

Panette
1-040

Briochette
1-041

Donuta
1-042

Cheesycake
1-043

Muffinette
1-044

Gatochouette
1-045

Cooky
1-046

SAISON 2
****** BOULANGERIE ******

Baguetta
2-035

Chocmuffin
2-036

Cakecarotte
2-037

Meringua
2-038

Pecanette
2-039

Chocoulette
2-040

Tartifruit
2-041

Torsadou
2-042

Cupcake
2-043

Baguetta
2-044

Chocmuffin
2-045

Cakecarotte
2-046

Meringua
2-047

Pecanette
2-048

Chocoulette
2-049

Tartifruit
2-050

Torsadou
2-051

Cupcake
2-052

::::::::::SAISON 3::::::::::
✶✶✶✶✶✶ BOULANGERIE ✶✶✶✶✶✶

Gatofrom 3-001	Tartofruti 3-002	Cupcokine 3-003	Cakebanana 3-004
◯	◯	◯	◯

Toastotte 3-005	Coukinette 3-006	Gatanniv 3-007	Cakenoce 3-008
◯	◯	◯	◯

Millefouilli 3-009	Gatofrom 3-010	Tartofruti 3-011	Cupcokine 3-012
◯	◯	◯	◯

Cakebanana 3-013	Toastotte 3-014	Coukinette 3-015	Gatanniv 3-016
◯	◯	◯	◯

Cakenoce 3-017	Millefouilli 3-018
◯	◯

::::::::::SAISON 4::::::::::
✶✶✶✶✶✶ BOULANGERIE ✶✶✶✶✶✶

Bonpain 4-011	Coukinou 4-012	Gatobon 4-013	Baguelo 4-014
◯	◯	◯	◯

Dodonut 4-015	Bonpain 4-016	Coukinou 4-017	Gatobon 4-018
◯	◯	◯	◯

Baguelo 4-019	Dodonut 4-020
◯	◯

**** PRODUITS LAITIERS ****

Fromette
1-065
 ○

Ficella
1-066
 ○

Laitchouette
1-067
 ○

Yaourty
1-068
 ○

Milkshouky
1-069
 ●

Chocolato
1-070
 ○

Chantillette
1-071
 ○

Cocotte
1-072
 ○

Fromette
1-073
 ○

Ficella
1-074
 ○

Laitchouette
1-075
 ○

Yaourty
1-076
 ○

Milkshouky
1-077
 ●

Chocolato
1-078
 ○

Chantillette
1-079
 ○

Cocotte
1-080
 ○

******** SURGELÉS ********

Glassounette
1-121
 ○

Frozie
1-122
 ○

Yaourty
1-123
 ○

Glagla
1-124
 ○

Mamapizza
1-125
 ○

Kimconette
1-126
 ○

Poissinette
1-127
 ○

Poipois
1-128
 ○

Glassounette
1-129
 ○

Frozie
1-130
 ○

Yaourty
1-131
 ○

Glagla
1-132
 ○

Mamapizza
1-133
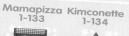 ○

Kimconette
1-134
 ○

Poissinette
1-135
 ○

Poipois
1-136
 ○

SAISON 2
✳✳ PRODUITS D'ENTRETIEN ✳✳

Vaisselette 2-087	Vitrounette 2-088	Lessivou 2-089	Senbon 2-090
⚪	⚪	⚫	⚪

Serpy 2-091	Balaimiss 2-092	Doucette 2-093	Ventousy 2-094
⚫	⚫	⚪	⚪

Roulota 2-095	Vaisselette 2-096	Vitrounette 2-097	Lessivou 2-098
⚪	⚪	⚪	⚫

Senbon 2-099	Serpy 2-100	Balaimiss 2-101	Doucette 2-102
⚪	⚫	⚫	⚪

Ventousy 2-103	Roulota 2-104
⚫	⚪

SAISON 2
✳✳✳ PRODUITS POUR BÉBÉ ✳✳✳

Biby 2-121	Miam Miam 2-122	Totolte 2-123	Linginette 2-124
⚫	⚫	⚫	⚫

Tassette 2-125	Talcouny 2-126	Culotine 2-127	Shampouiny 2-128
⚫	⚫	⚫	⚫

Biby 2-129	Miam Miam 2-130	Totolte 2-131	Linginette 2-132
⚫	⚫	⚫	⚪

Tassette 2-133	Talcouny 2-134	Culotine 2-135	Shampouiny 2-136
⚫	⚫	⚫	⚫

SAISON 4
✶✶✶✶✶✶ ANIMALERIE ✶✶✶✶✶✶

Gameli 4-073 • **Colieron** 4-074 • **Babale** 4-075 • **Niniche** 4-076

Chamaison 4-077 • **Miamcha** 4-078 • **Bocalou** 4-079 • **Brossine** 4-080

Gameli 4-081 • **Colieron** 4-082 • **Babale** 4-083 • **Niniche** 4-084

Chamaison 4-085 • **Miamcha** 4-086 • **Bocalou** 4-087 • **Brossine** 4-088

SAISON 2
✶✶✶ ARTICLES MÉNAGERS ✶✶✶

Grillette 2-017	**Mixtou** 2-018	**Expressette** 2-019	**Casserolette** 2-020
Boubouille 2-021	**Microbon** 2-022	**Poubella** 2-023	**Lampa** 2-024
Repassotte 2-025	**Grillette** 2-026	**Mixtou** 2-027	**Expressette** 2-028
Casserolette 2-029	**Boubouille** 2-030	**Microbon** 2-031	**Poubella** 2-032
Lampa 2-033	**Repassotte** 2-034		

✱✱✱ ARTICLES MÉNAGERS ✱✱✱

Lavetou 3-103 ○
Aspirette 3-104 ○
Frigolotte 3-105 ○
Ventiliss 3-106 ○

Telefun 3-107 ○
Radiolette 3-108 ○
Telefona 3-109 ○
Iphonou 3-110 ○

Mixouliss 3-111 ○
Lavetou 3-112 ○
Aspirette 3-113 ○
Frigolotte 3-114 ○

Ventiliss 3-115 ○
Telefun 3-116 ○
Radiolette 3-117 ○
Telefona 3-118 ○

Iphonou 3-119 ○
Mixouliss 3-120 ○

✱✱✱ ARTICLES MÉNAGERS ✱✱✱

Coqueti 4-041 ○
Fautillou 4-042 ○
Teledo 4-043 ○
Balancete 4-044 ○

Toileti 4-045 ○
Coqueti 4-046 ○
Fautillou 4-047 ○
Teledo 4-048 ○

Balancete 4-049 ○
Toileti 4-050 ○

SAISON 1
CONFISERIE

Chewbubbly 1-047
Candykiss 1-048
Riglissa 1-049
Chocolette 1-050

Barbamiss 1-051
Lolisucette 1-052
Bonbonbon 1-053
Draginette 1-054

Riglissette 1-055
Chewbubbly 1-056
Candykiss 1-057
Riglissa 1-058

Chocolette 1-059
Barbamiss 1-060
Lolisucette 1-061
Bonbonbon 1-062

Draginette 1-063
Riglissette 1-064

SAISON 2
CONFISERIE

Popcorni 2-053
Mentossy 2-054
Banasplity 2-055
Chewinguette 2-056

Gauffry 2-057
Givrette 2-058
Chourross 2-059
Titecrepe 2-060

Popcorni 2-061
Mentossy 2-062
Banasplity 2-063
Chewinguette 2-064

Gauffry 2-065
Givrette 2-066
Chourross 2-067
Titecrepe 2-068

Fizzette
3-051
 ○

Oreonou
3-052
○

Macarona
3-053
○

Chocotine
3-054
 ○

Chocogaufre
3-055
○

Chockiss
3-056
 ○

Glacette
3-057
○

Pomamour
3-058
 ○

Gatobon
3-059
 ○

Fizzette
3-060
 ○

Oreonou
3-061
 ○

Macarona
3-062
 ○

Chocotine
3-063
 ○

Chocogaufre
3-064
 ○

Chockiss
3-065
 ○

Glacette
3-066
 ○

Pomamour
3-067
 ○

Gatobon
3-068
 ○

Glassouille
4-021
 ○

Jellie
4-022
 ○

Panicake
4-023
 ○

Smoussi
4-024
 ○

Caouetou
4-025
 ○

Glassouille
4-026
 ○

Jellie
4-027
 ○

Panicake
4-028
 ○

Smoussi
4-029
 ○

Caouetou
4-030
 ○

::::::::::SAISON 1::::::::::

**** PRODUITS DE LA FÊTE ****

Chipsy
1-081

Bretzette
1-082

Gely
1-083

Gatorigolo
1-084

Cakebirthday
1-085

Hotdoggy
1-086

Tassounette
1-087

Panetona
1-088

Burgy
1-089

Sodapops
1-090

Chipsy
1-091

Bretzette
1-092

Gely
1-093

Gatorigolo
1-094

Cakebirthday
1-095

Hotdoggy
1-096

Tassounette
1-097

Panetona
1-098

Burgy
1-099

Sodapops
1-100

::::::::::SAISON 4::::::::::

**** PRODUITS DE LA FÊTE ***

Misskado
4-063

Cupkina
4-064

Chapofete
4-065

Balouno
4-066

Assieti
4-067

Misskado
4-068

Cupkina
4-069

Chapofete
4-070

Balouno
4-071

Assieti
4-072

SAISON 1
*****SANTÉ ET BEAUTÉ****

Patadent 1-101	Glossy 1-102	Brossette 1-103	Shampouinou 1-104
○	○	○	○

Shampoui'nette 1-105	Mouss-mouss 1-106	Stickette 1-107	Onglette 1-108
○	●	○	○

Savon'mouss 1-109	Brossadent 1-110	Patadent 1-111	Glossy 1-112
○	●	○	○

Brossette 1-113	Sham-pouinou 1-114	Shampoui'nette 1-115	Mouss-mouss 1-116
○	○	○	●

Stickette 1-117	Onglette 1-118	Savon'mouss 1-119	Brossadent 1-120
●	●	○	●

SAISON 3
****** PAPETERIE ******

Agrafou 3-121	Cisella 3-122	Crayonou 3-123	Notetou 3-124
●	○	○	●

Gommela 3-125	Calculeto 3-126	Regletta 3-127	Agendou 3-128
○	○	●	○

Agrafou 3-129	Cisella 3-130	Crayonou 3-131	Notetou 3-132
○	○	○	●

Gommela 3-133	Calculeto 3-134	Regletta 3-135	Agendou 3-136
○	○	●	○

::::::::::::SAISON 2::::::::::
****** CHAUSSURES ******

Scarpina
2-105

Joggette
2-106

Talony
2-107

Basketa
2-108

Santiana
2-109

Compensy
2-110

Pantouflette
2-111

Skidoux
2-112

Scarpina
2-113

Joggette
2-114

Talony
2-115

Basketa
2-116

Santiana
2-117

Compensy
2-118

Pantouflette
2-119

Skidoux
2-120

:::::::::::::SAISON 3:::::::::::
****** CHAUSSURES ******

Talonou
3-035

Ballerino
3-036

Pluviette
3-037

Moccasy
3-038

Laceta
3-039

Basketine
3-040

Uggette
3-041

Compensa
3-042

Talonou
3-043

Ballerino
3-044

Pluviette
3-045

Moccasy
3-046

Laceta
3-047

Basketine
3-048

Uggette
3-049

Compensa
3-050

:::::::::: SAISON 3 :::::::::::
:::::::::: CHAPEAUX ********

Casqetta
3-019 ⬤

Chapoliss
3-020 ⬤

Flappou
3-021 ⬤

Feutrina
3-022 ⬤

Hoforma
3-023 ⬤

Chappy
3-024 ⬤

Beretto
3-025 ⬤

Chapluie
3-026 ⬤

Casqetta
3-027 ⬤

Chapoliss
3-028 ⬤

Flappou
3-029 ⬤

Feutrina
3-030 ⬤

Hoforma
3-031 ⬤

Chappy
3-032 ⬤

Beretto
3-033 ⬤

Chapluie
3-034 ⬤

::::::: SAISON 4 :::::::::
****** ACCESSOIRES ******

Chaussie
4-031 ⬤

Sacmimine
4-032 ⬤

Bonneti
4-033 ⬤

Colirond
4-034 ⬤

Ceinturo
4-035 ⬤

Chaussie
4-036 ⬤

Sacmimine
4-037 ⬤

Bonneti
4-038 ⬤

Colirond
4-039 ⬤

Ceinturo
4-040 ⬤

:::::::::SAISON 3::::::::::

*** CUISINE DU MONDE ***

Sushily 3-085
Dimsum 3-086
Chococo 3-087
Spaguetta 3-088

Croissou 3-089
Fritette 3-090
Tigato 3-091
Tacossa 3-092

Saucissou 3-093
Sushily 3-094
Dimsum 3-095
Chococo 3-096

Spaguetta 3-097
Croissou 3-098
Fritette 3-099
Tigato 3-100

Tacossa 3-101
Saucissou 3-102

::::::::::SAISON 4::::::::::

******** JARDIN ********

Potipot 4-051
Arbrinou 4-052
Broueta 4-053
Picou 4-054

Fourchita 4-055
Mentisse 4-056
Potipot 4-057
Arbrinou 4-058

Broueta 4-059
Picou 4-060
Fourchita 4-061
Mentisse 4-062

Confifi 4-089	Tomama 4-090	Tartamoi 4-091	Confifi 4-092

Tomama 4-093	Tartamoi 4-094	Laipaille 4-095	Beubeurre 4-096

Tassina 4-097	Laipaille 4-098	Beubeurre 4-099	Tassina 4-100

Decoro 4-101	Sirodou 4-102	Cremiglou 4-103

Decoro 4-104	Sirodou 4-105	Cremiglou 4-106

Chausseta 4-107	Portessou 4-108	Oreilline 4-109

Chausseta 4-110	Portessou 4-111	Oreilline 4-112

Oeuflete 4-113	Coussina 4-114	Comandine 4-115	Oeuflete 4-116

Coussina 4-117	Comandine 4-118	Bouillou 4-119	Nidoiso 4-120

Pelou 4-121	Bouillou 4-122	Nidoiso 4-123	Pelou 4-124

Ossamoi 4-125	Medalou 4-126	Poissinou 4-127	Ossamoi 4-128

Medalou 4-129	Poissinou 4-130	Glouglou 4-131	Bougina 4-132

Sifleto 4-133	Glouglou 4-134	Bougina 4-135	Sifleto 4-136

:::::::::: SAISON 1 ::::::::::
***** ÉDITION LIMITÉE *****

Queenycake
1-137

Boutondor
1-138

Tounette
1-139

Chouettecake
1-140

Tomatos
1-141

Soleia
1-142

::::::::::: SAISON 2 :::::::::::
ÉDITION LIMITÉE

Machlou
2-137

Ganty
2-138

Citronkiss
2-139

Miss Tea
2-140

Donuty
2-141

Bottinnette
2-142

:::::::::: SAISON 3 ::::::::::
***** ÉDITION LIMITÉE *****

Bijourella
3-137

Charmiss
3-138

Bagamour
3-139

Tictac
3-140

Sautocou
3-141

Diams
3-142

::::::::::: SAISON 4 ::::::::::
***** ÉDITION LIMITÉE *****

Parfumete
4-137

Vaporiss
4-138

Pchitou
4-139

Parfumiss
4-140

Flaconou
4-141

Senbon
4-142